Traducción al español: Julia Vinent
© 2001, editorial Corimbo por la edición en español
Ronda del General Mitre 95, 08022 Barcelona
e-mail: corimbo@retemail.es
1a edición, diciembre 2001
© 1999, l'école des loisirs, Paris
Título de la edición original: *Devine qui fait quoi*
Impreso a Francia por Aubin Imprimeur, Poitiers

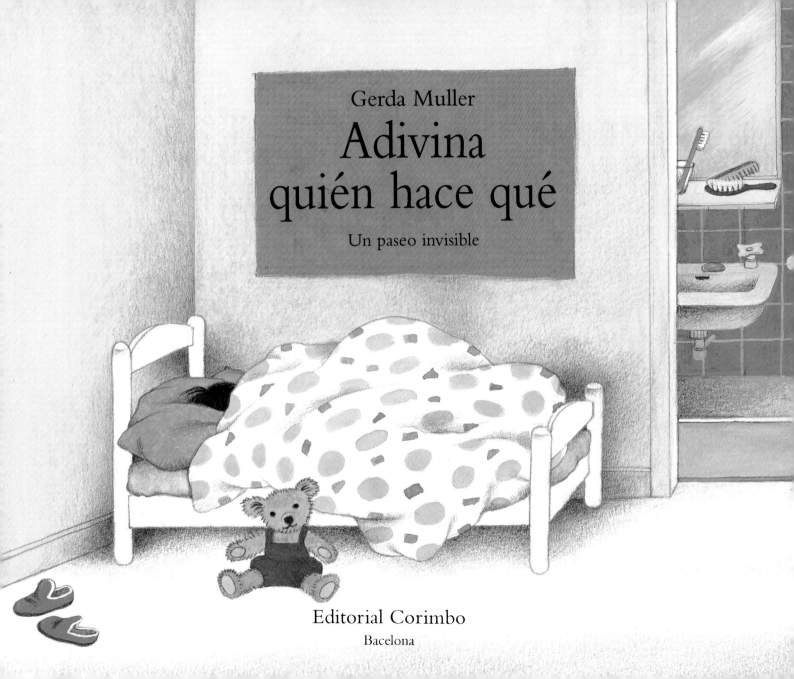

Adivina quién hace qué

Gerda Muller

Un paseo invisible

Editorial Corimbo

Bacelona

Sigamos estas huellas…

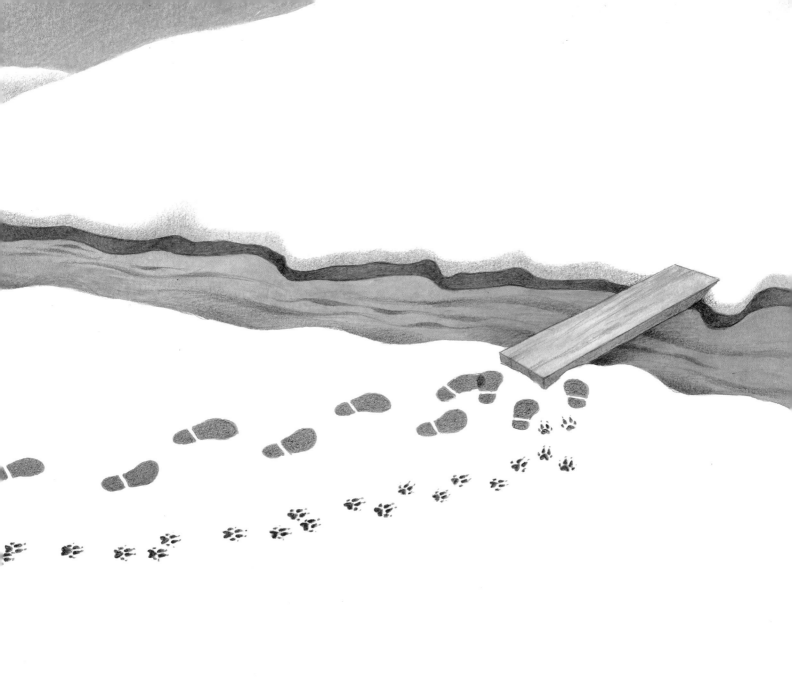

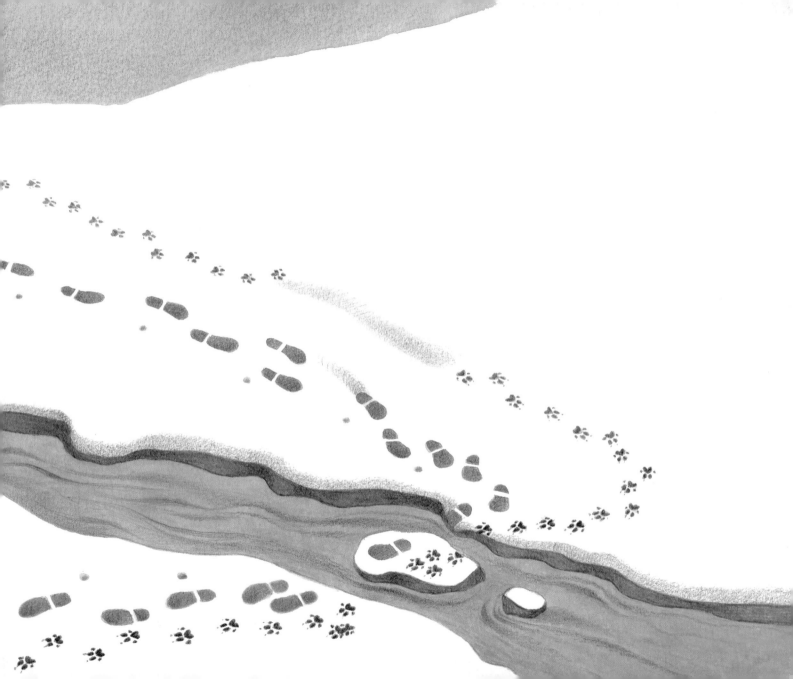

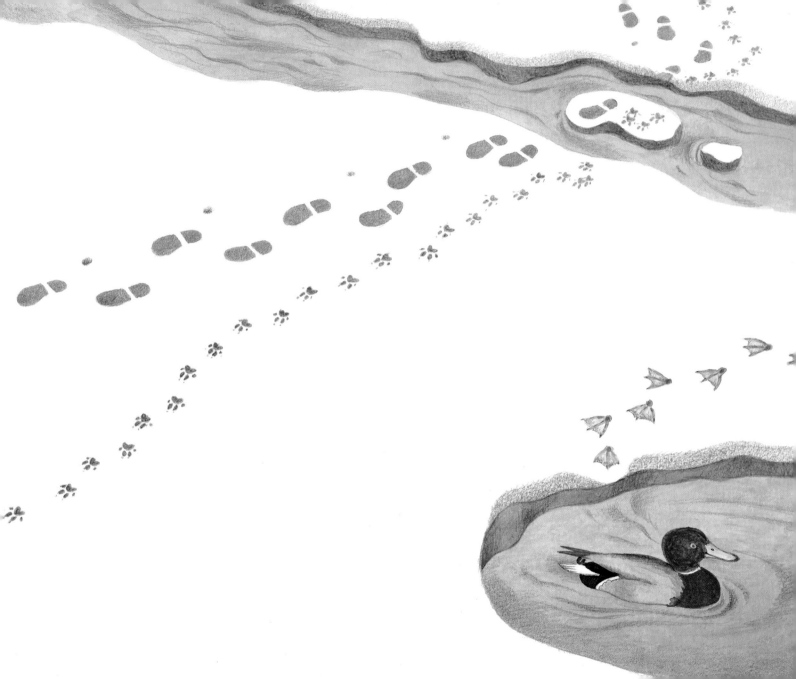

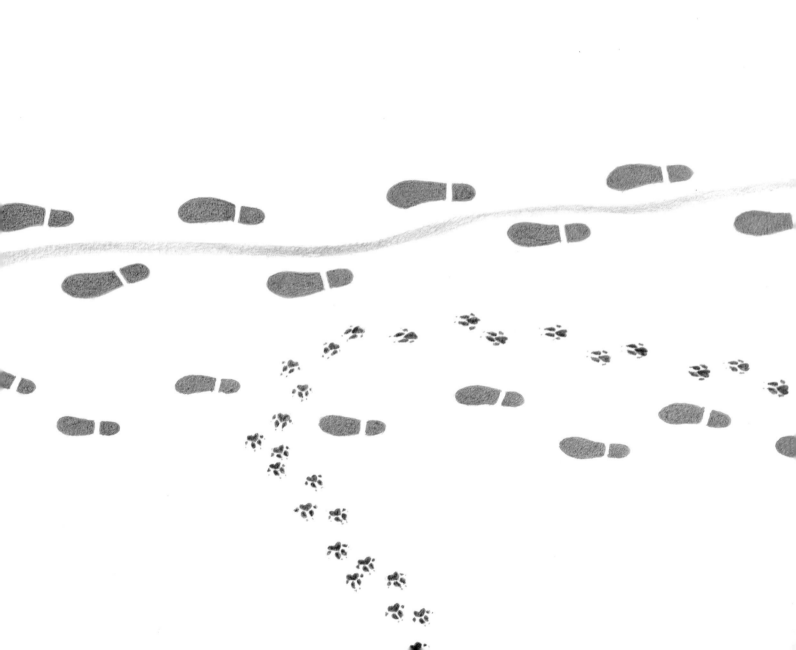